江西省圖書館館藏古籍珍本叢書之三

僊屏書屋初集

目錄

序一

自國務院《關於進一步加强古籍保護工作的意見》（國辦發〔二〇〇七〕六號）頒佈以來，古籍保護工作在全國範圍内順利開展起來。古籍保護工程、古籍普查、古籍人員培訓、『全國古籍重點保護單位』暨《國家珍貴古籍名錄》的申報評審公佈、古籍善本再造，以及國家珍貴古籍特展、《中華古籍總目》的編纂，等等，各項古籍保護工作持續、穩步推進，作為中華民族寶貴文化遺產的古籍得到了前所未有的有效保護，真可謂功在當代，利澤千秋。

古籍保護的目的是為了更好地繼承和弘揚優秀的中華文明，是為了更好地做到『古為今用』，是為了更好地為中華民族的偉大復興提供精神動力。傳統的原生性保護為古籍壽命的延長提供了有力保證，而諸如縮微拍攝、數字化、重新編輯出版等再生性保護則有效地解決了古籍保護與利用的矛盾。尤其是影印出版古籍不僅有利於古籍原件的保護，而且有利於直觀、準確地為更多的讀者所利用。近些年來，中華古籍保護計畫中的《中華再造善本》的編纂出版就是影印古籍的典範之作，為世人所矚目。在《中華再造善本》編纂出版項目帶動下，全國各古籍收藏單位積極發掘館藏珍本古籍，進行影印出版，通過化身千百與世人共享，取得了良好的社會效果。

江西自古以來有『物華天寶』、『人傑地靈』的美譽，『唐宋八大家』江西就有三家，文化底蘊非常深厚，以致著述家、藏書家、出版家代有興起，留下了大量文獻典籍，成為中華古籍的重要組成部分。作為江西藏書體系最為完備的圖書館——江西省圖書館，其古籍藏量位居該省之冠，尤以地方文獻為館藏特色，如宋慶元二年（一一九六）江西廬陵周必大刻《歐陽文忠公集》，堪稱宋代江西刻書的代表作；明崇禎江西分宜刻《宋應星四種》，則為海内外孤本。近年來，在江西省委省政府的高度重視和關心下，在江西省文化廳的正確領導下，江西省圖書館的古籍保護工作取得了長足的進步，一大批古籍入選《國家珍貴古籍名錄》，二〇〇九年還被國務院批准為『全國古籍重點保護單位』。

為做好古籍的保護、整理、開發、利用，江西省圖書館決定在古籍普查的基礎上，遴選館藏珍貴古籍編成《江西省圖書館館藏古籍珍本叢書》，分期影印出版。這一舉措，無疑對江西的古籍保護工作具有重要的促進作用，即對全國的古籍保護工作亦有重要意義。

中國國家圖書館館長　周和平

序二

《江西省圖書館館藏古籍珍本叢書》(以下簡稱《叢書》)陸續出版發行。它既是江西圖書館事業上的一件盛事，也是江西文化工作中的一件喜事；既是一項功在當代、利在千秋的文化舉措，也是關係到子孫後代的宏偉事業。

贛鄱寶地，襟江帶湖，沃野千里，自古物華天寶、人傑地靈，在中華民族文明史上，書寫了光輝燦爛的篇章。

出版此套《叢書》，是歷史的使命。江西歷史上不僅經濟繁榮，而且詩文淵藪，是中國古代學術文化重鎮，孕育了陶淵明、歐陽修、曾鞏、王安石、文天祥、湯顯祖等一大批文學家，朱熹、陸九淵、歐陽守道、吳澄等一代理學宗師。儒學昌明，家學鼎盛，文學繁榮，催生了造紙業和雕版印刷業，江西在兩宋及元代曾以中國四大雕版印刷中心引人注目，吉州、袁州、撫州、饒州雕版印書業更是昌盛，直至明清時期，金溪和婺源依然延續了這種繁榮。因此，江西一地詩書綿延，蔚為文獻大邦。

出版此套《叢書》，是社會的需求。編修整理典籍、發佈經典正本，是傳承文化的重要途徑；保護、研究、利用好地方古籍，是我們後世子孫繼承先賢的重要方式。江西優秀的古籍文獻負載着贛鄱文明，凝聚着江西智慧，不僅具有極大的歷史文物價值和文獻研究價值，而且在當前建設富裕和諧秀美江西、向文化大省跨越的進程中，亦有啟迪民智、古為今用的重要作用。

出版此套《叢書》，是文化的責任。江西省圖書館作為國家重點古籍保護單位，古籍藏量位居全省之冠，尤以江西地方文獻為特色。為更好地保護和利用古籍，自二〇一〇年起，該館決定從豐富的館藏古籍中甄選部分館藏珍本，分期影印出版，可以使珍貴的古籍化身千百，確保傳承的安全；可以擴大古籍善本的流通，促進其最大限度地傳播和利用。

因此，抓緊搶救和保護現存古籍，影印出版《江西省圖書館館藏古籍珍本叢書》，並對其進行深入而系統的研究、整理、開發和利用，使贛鄱文明世代相傳，推陳出新，使命光榮，責任重大。

目前，《叢書》已影印出版了《宋應星見存著作五種》和《湯顯祖批評〈花間集〉》兩種八冊，在社會上產生了廣泛而深遠的影響，成為全省利用現代科技保護、利用優秀文化遺產的成功範例，為保護江西地方文獻，推介江西地域文化做出了重要貢獻。

繼絕存真，傳本揚學。我們可以期待，《叢書》的陸續出版，能讓更多傳世孤罕的古籍，走出深閣大庫；《叢書》的陸續出版，能讓世人更加深切地體會到江西文化的厚重與輝煌，使贛鄱文明的薪火代代相傳。

江西省文化廳廳長

《仙屏書屋初集》影印説明

《仙屏書屋初集》是清代著名政治家、思想家、文學家黄爵滋的詩集。

黄爵滋（一七九三——一八五三），字德成，號樹齋，又號一峰，江西宜黄人。道光三年（一八二三）進士，選翰林院庶吉士，散館授編修，初充江南鄉試副考官，補福建道御史轉陝西道御史，歷兵科給事中、工科給事中、鴻臚寺卿、大理寺少卿、通政使司通政使、禮部右侍郎、刑部右侍郎轉左侍郎。道光二十二年（一八四二），丁父憂回籍；二十三年（一八四三），以户部銀庫失察落職，期間主講豫章書院；二十四年（一八四四），以六部員外郎啟用，病足家居，仍主講豫章書院；三十年（一八五〇）至京，會道光皇帝駕崩，遂不出；咸豐三年（一八五三），卒於京。

黄爵滋所處時代，是清王朝從鼎盛走向日漸衰落的時代，至道光間，已是積弊叢集，危機四伏。作為朝中重臣，凡有關國計民生，黄爵滋皆『遇事鋒發，無所回避』、『以直諫負時望』。其時，歐西列强多已完成第一次工業革命，資本主義迅猛發展，急於開拓、建立更爲廣闊的海外市場和殖民地。中國物阜民眾，歐西列强虎眂已久。然而，由於中國自給自足自然經濟的抵制，英國在對華貿易中始終處於入超地位。爲扭轉對華貿易逆差，以英國爲首的歐西列强遂向中國走私鴉片，以打開中國市場。至嘉慶、道光間，鴉片輸入量成倍增長。清廷雖屢申禁令，但由於措施不力，『内地嗜食漸眾，販運者積歲而多』，以致煙毒氾濫，大量白銀外流，進一步促使銀貴錢賤，引發了嚴重的社會危機。有數據顯示：清初進口的鴉片數量每年約二百餘箱（每箱約一百斤），僅作藥用之需。然而，雍正七年（一七二九）以後，鴉片進口大量增加，至乾隆三十二年（一七六七）達一千箱，嘉慶五年（一八〇〇）達四千箱，道光初年達八千餘箱，道光十七年（一八三七）更是達到了驚人的三萬九千箱以上。進口如此巨量的鴉片表明，除極少量鴉片用於藥品之需外，多數鴉片都變成了毒品，遍佈全國各地，煙毒氾濫不僅給中國人的精神、肉體帶來嚴重損害，同時也嚴重破壞了社會生產力，成為中國三千年未有之禍。

鴉片危害帶來的一系列社會問題，引起了清朝統治者的高度關注。早在雍正七年鴉片進口大量增加之時，清廷即首次頒佈了禁煙法令。此後，隨着鴉片進口的不斷攀升，清廷所頒禁煙令不下四五十道，但鴉片進口量卻更加巨大，鴉片走私卻更加猖獗，給中國社會帶來了嚴重的危害。有鑒於此，清政府内部形成了馳禁和嚴禁兩種聲音。道光十八年（一八三八）閏四月，嚴禁派代表人物，時任鴻臚寺卿的黄爵滋奏呈《請嚴塞漏卮以培國本疏》，認為以往禁查鴉片，一是嚴查海口，在海岸巡邏；二是禁止通商；三是查拿興販，嚴治煙館。但這些

降諭旨，自今年某月某日起至明年某月某日止，准給一年期限戒煙，雖至大之癮，未有不能斷絕。若一年之後，仍然吸食，是不奉法之亂民，置之重刑，無不平允。查舊例，吸食鴉片者，罪僅枷杖，其不指出興販者，罪杖一百徒三年，然皆系活罪。斷癮之苦，甚於枷杖與徒。故甘犯明刑，不肯斷絕。若罪以死論，是臨刑之慘急，更苦於斷癮之苟延。臣知其情願絕癮而死於家，必不願受刑而死於市。』道光皇帝閱後，鈔轉全國各地方大員，並諭令『妥議章程，迅速具奏』。由此引發了禁煙大討論。在林則徐等嚴禁派的大力支持下，清廷掀起了全國性的聲勢浩大的禁煙活動，任命林則徐為欽差大臣，前往禁煙前沿廣東查辦禁煙。至道光十九年（一八三九）四月，林則徐共收繳鴉片二萬餘箱，並在虎門銷煙，取得了禁煙歷史上的巨大勝利。與此同時，黃爵滋亦奉命偕左都御史祁俊藻赴福建查辦禁煙，與總督鄧廷楨積極籌備海防。同時，黃爵滋備言戰守方略，進獻《海防圖》，力主抗擊英國借機發動的鴉片戰爭。然而，腐敗的清王朝在西方列强的船堅炮利之下一敗塗地，屈辱地簽訂了《中英南京條約》。清王朝的禁煙雖然以失敗告終，但黃爵滋作為積極宣傳禁煙的先驅者，卻名垂青史，是故史稱『禁煙之議，創自黃爵滋』。

黃爵滋不僅『創議禁煙，始終主戰，一時以為清流眉目』，且『意氣豪甚』，『以詩名』，尤擅五古，寫下了不少反映現實生活之作。其詩典雅淳厚，格調高昂。他為官朝廷，身處滿清末世，蒿目時艱，目擊道存，故能以更加廣闊的創作視野與深沉的憂患意識，賦予詩歌深刻的內涵。他憲章《詩經》及漢魏、盛唐之詩，對乾嘉以來大道榛蕪、習俗波靡的詩壇痛加針砭：

『嘗觀儕俗之作，有數非焉：或聲調便利，靡而不振；或意旨蹇澀，枯而不澤，若是者非體。或馳驟揮霍，剽而不留；或堆垛襞積，滯而鮮通，若是者非氣。或貌似神離，虛而不實；或以文飾俗，雜而不清，若是者非理。或苦心束縛，自謂親切；或任情氾濫，自謂周至，若是者非法。……予才疏力薄，何能爲役。顧念生平所學，自漢魏六朝以迄唐宋元明諸大家，靡不略涉藩奧，雖未嘗有所專長而去其非以求其是，要亦不乖於體，不亂於氣，不悖於理，不詭於法。』（黃爵滋《仙屏書屋初集自序》）依循其詩學理論，他寫下了大量感時撫事之作。《入閩途中雜詩》、《觀造炮歌》、《海防篇贈臧牧菴從軍一百韻》以詩人親身經歷，描述了福建沿海查禁鴉片、籌建炮臺等事件，直可作戰史之佐證。《黃河篇》、《撫州行》、《磁州行》、《南蝗》描述了世衰災降時的民生疾苦，客觀反映了清朝日漸衰敗的氣象。其詩亦多有記山水物情，誌親友離散之作。《廬山》、《西湖紀遊》、《渡揚子江》皆爲借景抒懷之佳作。《除大母服》、《喜郭羽可至京》表達詩人對親友的真摯情誼。『先生之詩，體格取諸漢、晉、盛唐而止，晚近薰染，畢力剗削，大抵非有益於國之敷政、人之植行者，則不以命筆，其志之嚴如此。』（潘德輿《養一齋集·仙屏書屋詩序》）。《晚晴簃詩匯》稱其『詩循杜、韓正軌，縱橫跌宕，才氣足以發其學』。黃爵滋所著詩三十四卷，其中《仙屏書屋初集》收十八卷，包括《詩錄》十六卷，收詩八百七十一首；《詩後錄》二卷，收詩一百二十七首。此外，還著有奏議三十卷、《表》一卷、文二

年（一八四九）大字刻本。翟氏泥活字印本《仙屏書屋初集》作爲現存爲數不多的泥活字印本之一，彌足珍貴。北宋慶曆間（一〇四一——一〇四八），布衣畢昇發明泥活字印刷術，其製字擺印之法賴宋人沈括《夢溪筆談》的記述而傳世。清道光間，蘇州人李瑤與涇縣人翟金生各用畢昇遺法自造泥活字，而翟氏成就尤高。翟氏因感『遺編蠹蝕，每嫌借讀之煩，善本梓行，更乏開鐫之力』，於是仿《夢溪筆談》所記膠泥煉字之法，歷三十餘年，試製成泥活字十萬多個。道光二十七年，翟金生用此套泥版活字排印了友人黄爵滋的詩集《仙屏書屋初集》。此集所用泥字較小，稱小泥字。詩中小注字體更小，共裝五冊。翟氏所造泥活字及其所印書籍的傳世，證實了沈括關於畢昇發明泥活字印刷記載的可靠性，於中國印刷史研究極具價值。

今據館藏翟氏泥活字印本，一仍原本影印出版，以饗讀者，以期有助於學人。

《江西省圖書館館藏古籍珍本叢書》編輯委員會

二〇一二年十月

儒屏書屋初集

涇翟西園
泥字排印

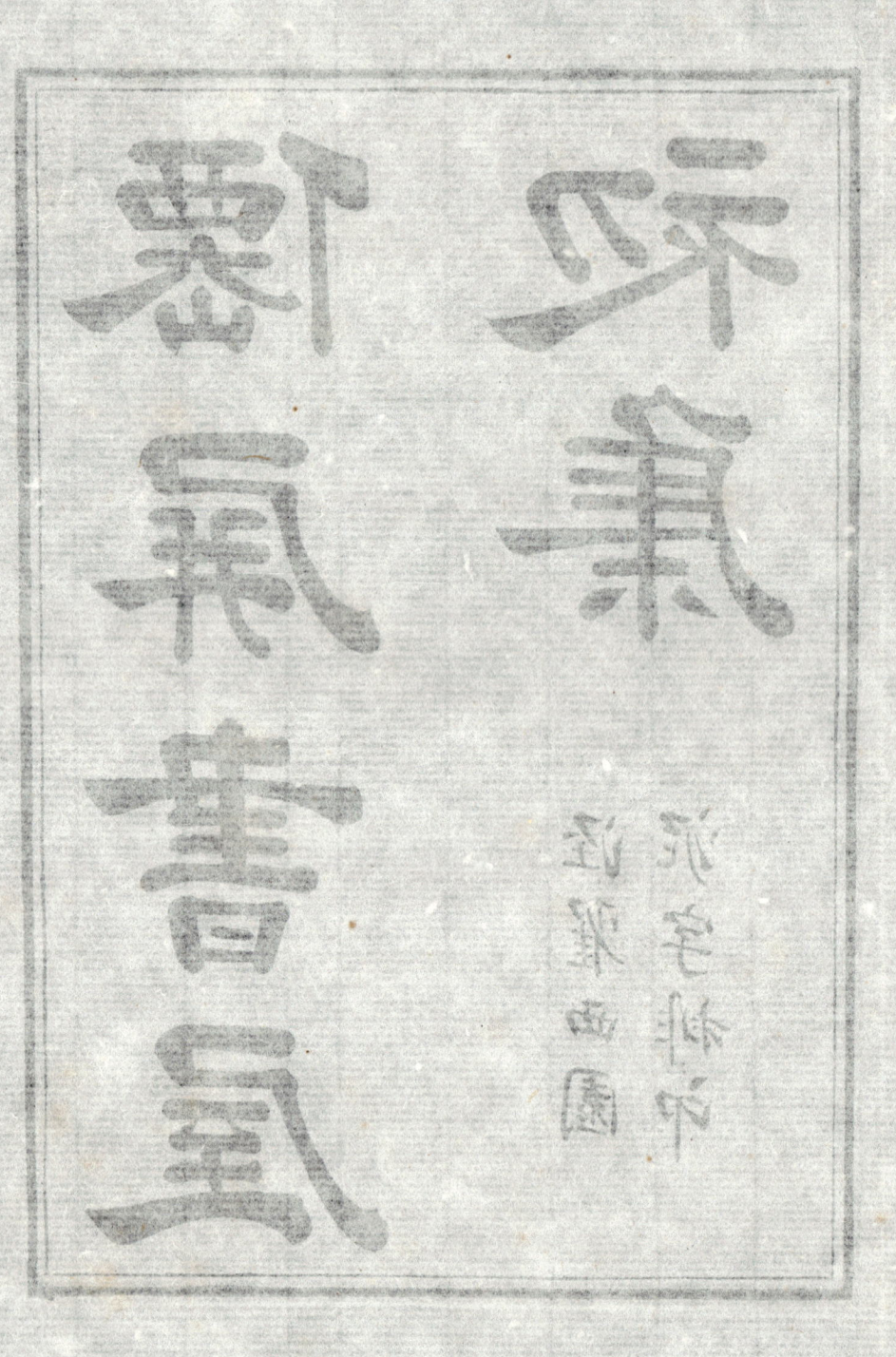

自序

予幼嘗從讀於家素堂先生先生日事吟詠案頭自昭明文選外惟王漁洋沈歸愚兩先生所選古今諸體詩集取而翫之巳知三百篇爲古詩之源而古詩又爲唐宋以來諸大家之源也巳復徧取近時聞人諸集讀之喟然歎大道之榛蕪而習俗之波靡也顧見聞未廣識趣不專閒適指歸殊少成就嘗遊廬山登絶頂五老峰頭目無障礙洵如鴻鵠高舉見天地之方圓矣雖然力不堅者無以永其神也慮不通者無以閎其用也嘗觀儕俗之作有數非焉或聲調便利靡而不振或意旨蹇澀枯而不澤若是者非體或馳騁揮霍剽而不留或堆垛襞積滯而鮮通若是者非氣或貌似神離虛而不實或以文飾俗雜而不清若是者非理或苦心束縛自謂親切或任情泛濫自謂周至若是者非法去玆數非求其一是然後可以語山水之助發智仁之妙也而其道之靡窮業之不倦則又貴有畢生之閱歷同志之觀摩焉夫九州大而四海遙山林奇崛之士未能徧覯而盡識也然以予生平所知若徐子東松之嚴於許可張子

亭甫之宏於裁鑑郭子羽可之善於激發艾子至堂之愼於規守湯子海秋之敏於攻擿門人潘四農之精於審擇家兄壽泉之密於體察賞奇析疑肝膈盡吐故予所就商者數君爲多東松嘗論予已卯三月初九日作曰此等詩一片天趣竹木瓦礫拈來皆見道機嚴滄浪所謂透澈之悟也論東才先生將歸德興臨別有作曰此等詩雋趣而古風韻盎然不落輕薄佻譃派看似宋詩實則唐人格度直是字字入解矣論丁氏女作曰事奇詩奇似梁藉亭孤兒行然梁未免好奇之過此雖詰

屈曲折而分明正當當爲勝之矣論古詩八首曰此等詩拉雜引喻長於諷諭得古詩人之遺然不知其本意者亦難識其妙矣論四十初度作曰此篇乃作者著意之作亦得意之作酬亭甫作不當如是耶論題徐健菴尚書遂園修禊圖作曰此等詩雖無甚佳處然熨貼切合通體完善無牽率之態有清泠之韻便不可廢也論撫州行曰此等詩固不以工拙論況詩亦未嘗不佳乎論辛巳送秋作曰此等圓實之製誠諸君所其賞然在集中則猶爲中駟也論相見行曰此等乃眞是上乘之

作意深曲而辭巧妙亨甫嘗論予鄴下懷古作曰不作激昂慷慨諷刺刻深之語倍覺讀之感人此在書家爲中鋒在詩家爲正聲集中如此等作甚夥論東阿道中望魚山作曰鍊氣歸神骨韻高絶此種詩眞今之廣陵散也論明湖謁南豐先生祠待月返櫂作亦然論哭長女作曰性情旣眞詩無不工者然惟有性情人能之無性情人一生不見有此等語也非其人無可傷可悼之事但到此等眞摯處便無處下筆卽下筆皆搬運故實無一本色語耳余所見天下名士如此者不少因覽此

三詩爲之浩歎論撫州行曰蒿目時艱宜通風諭況作桑梓風俗之可憂者乎淋漓疎快詩佳固不待言而予尤感其意之深厚也今之詩人大率干貴顯傍燕會耳至於民瘼久置之不問有言及之者且以爲無病呻吟也噫論有酒八首曰古今論詩者多矣未有如此精通簡穆者也稱心而談人亦易足有志者幸其勉之論詠物二十六首曰近人詠物詩多旁敲側映弄口角以取媚作者獨從正面落想不屑爲纖媚宛轉之態故乍閱之不見其工細味之而工處實不可及羽可嘗論予歲

暮雜感作曰高古深重所感者大如此乃不敢以詩爲小道論送湯茗孫中翰歸臨川作曰中正無邪之旨足以維持詩教者此類是也論除大母服作曰眞摯之言悽感神骨不計詩而詩臻絶頂論海防篇曰集中不可無此題此題不可無此詩忠誠悱惻歷劫不磨卽以詩論亦不朽盛業也至堂嘗論予後撫州行曰樂操風土似諺似謠離奇處從太白樂府出老樸處從杜甫歌行出論江西行曰似歌似謠忽轉忽斷忽鋪眞得古樂府神理論悔過詩曰古在味在骨似几杖諸銘似抑戒詩論和武芝田廉吏行曰從周秦諸子出似騷似謠似命訓諸體老杜而外又別有創格也論思寡過篇曰矜鍊似魏晉人學三百篇作而意義層出本末具見非有眞性情者不能爲也論詠懷古蹟曰諸詩或正寫或旁寫撫今追昔意在筆先昔儒所謂天理人情爛熟胸中者詩之爲道如此而已海秋嘗論予梅關行曰絶無依傍自成一家此等詩他人望而卻步作者每優爲之論讀漢魏六朝人文集詩曰合校一百首有實寫者有虛寫者有旁見者有兼及者有承說者有補論者有舉一事

以槩其生平者有就一人以知其當世者神明規矩無法不備直變司馬遷史論爲韻語豈不奇絶豈不剏絶他人徒以簡易讀過豈知作者神妙乎論喜郭羽可至京作曰淋漓頓挫直以單行之氣運之外間講七律格調者讀之走且僵矣論辛卯歲除作曰性情之沈摯人事之艱辛合而成此詩故字字血誠卻字字典則非似他手要作長篇放便長些其胸中本無不可以已於言者也四農嘗論予贈郭羽可南旋竝寄余東才作曰此等詩運意全在空際所以高不可攀論齊謳行曰一片古骨蘊藉而復遒亮此種五古雖
國初諸老不能到也論得趙直夫甘泉書作曰此種詩一氣旋轉李西涯以善用虛字自負蓋鍊實字易鍊虛字難也論送張亨甫赴鄭州作曰詩眞則易率殊不然眞則鬱鬱則焉得率哉此詩是也論至德州懷徐東松暨盧魏二生作曰轉摺空濶者其難更甚於細密我夫子詩之勝場全在轉摺得空濶蓋詩之功候專在轉摺又須看其密與濶之分別大抵取裁於唐以上者轉摺乃無不濶也如此詩可謂示人眞正門庭矣神木論歌

曰轉捩如神不可方物此等詩佳處從題外發議而實於題之筋骨自生肉采乃非霸才無主也論磁州行曰此等詩看似奔汪其實盡而不盡此詩之所以爲詩也論論詩偶述八首曰諸作發前人所未發補前人所不及而知人論世具見若徒以論詩求之失諷諭之旨矣論有酒八首曰以源御流至簡至大論詩至此直可抉經心執聖權矣壽泉嘗論予入閩途中雜詩二十一首曰諸詩用意眞寫景奇分之自成章法合之各有格律是工部傑搆較武功縣居三十首有過之無不及也論

漫興諸作曰此前後數十首回環往復無限聲情自來長句罕此絶搆論吳門題孔繡山圖冊曰一篇有數十層轉折感舊述今義兼各體語語崛峍字字鏗鏘至忘其爲次韻之作集中多刱體老格如此等詩尤爲圓整中得奇縱眞絶技也論西湖紀遊曰山水詩不難鑱削而難渾涵集中遊覽諸作隨物賦形會心獨遠乃合康樂少陵柳州爲一手論豐臺觀芍藥歌曰此首巳詣元白勝處集中多雄濶之作正不可不存此一種令人想見張緒當年凡茲梗槩非爲標榜要當證同異辨離合

耳亭甫嘗謂予曰君自有君之可傳吾自有吾之可傳何必與他人較是非執短長哉悲夫四農逝矣亭甫海秋復相繼夭歿東松遠客湖湘羽可退老青原至堂宦隱閩皂鄉之樽酒論文相忘晨夕今或數年一見或十數年一見渭樹江雲秖增愁緒故予前後所作惟壽泉及嚴君問樵陳君雲乃得備觀之耳問樵論登韶州九成臺作曰詩樂同源發出絕大議論實有人心世道之憂豈詞章家所能辦論燕歌行曰此等詩寄託遙深曼聲讀之不勝身世之感論淮安北門城樓金天德大鐘

歌曰此等詩包孕宏遠吐屬自然瑰異近人徒爭考據自詡淹通視此有黃鐘瓦缶之別雲乃論黃河篇曰搔首皺眉以歌當泣絕不作憤激之談乃局外能知當局苦心者是眞樂府更不待言論南蝗作曰如此驚濤駭浪中有甘雨和風善讀者自得之蓋嚴君洞曉音律陳君深究治術故有此論曩在翰林與徐廉峰前輩論詩最早迨居鴻臚與葉筠潭前輩論詩亦數年兩君皆風雅壇坫今亡其人矣獨祁春浦前輩抗志希古殷情好士而身居樞要延訪爲難亦時會使然也自遊廬後更

欲廣覽四方風俗陰求天下奇士賴京師爲文人萃之區朝考夕稽不無所契又嘗秉傳四出東臨渤海西攬太華南浮鷺島江淮河汾海岱之間足跡經數萬里所過山川風雨草木禽魚陰陽變化皆在其中其先有鷄城詩草己卯北行草癸未南旋草乙酉粤遊草江左使車吟草己亥重使江南草皆自爲序刻今都所作復有删益蓋自定之難且猶若此况他人乎夫作詩者一代不過數人論詩亦然漁洋所取尚已歸愚嗣之一宗於正誠一代巨擘也惜其所著述未閎而其門徒亦鮮

有昌其學者若木虧而爝火耀反舌噪而長離喑詩道至此不云微乎然今學者亦稍變矣使如廉峰諸君提唱於上亨甫匹農諸子相與奮發而周旋之則斯道復興之機也失茲良友如去輪翼天實爲之謂之何哉予才疎力薄何能爲役顧念生平所學自漢魏六朝以迄唐宋元明諸大家靡不略涉藩奥雖未嘗有所專長而去其非以求其是要亦不乖於體不亂於氣不悖於理不詭於法杜少陵云文章千古事得失寸心知矧夫寶劍有射斗之光洪鐘有應霜之節固亦識者所其見而

其聞也先是龔木民刺史索予詩付梓嘗與門人蘇賡堂葉潤臣商訂所存迄無定本比年左青士大令暨門人趙蓮友又各有梓詩之請卒未有以應也去歲過涇翟君西圃復以泥字排印爲請遂於旅次付門人王句生洪子齡暨兒子秩林重爲訂之句生寓予書曰集中精奥寔善之故如江海含靈一任挹注者之取求各足而已又如佛舍利光其青黃赤白隨學者分量之高下淺深各見所見不容相假翼鳳亦頗能心知其妙而不必一一名言也往歲廉峰前輩嘗謂予曰讀君和湯海

秋敘懷惜別之作危言苦語大聲疾呼有障百川挽狂瀾之大志集中諸作亦寔是正法眼藏竊願與同志諸君其張之嗣在榕城行館春浦前輩嘗示予曰君集中句云大儒立天地發言流心聲理夷出極險語鑿涵至精又曰志壹神先定功深語必韜多材歸有用小技惜徒勞又曰一字必矜慎詣苦而意甘讀君詩者觀其自道可以知其學焉念此者所以自勉非敢以自信也道光丙午長至宜黃黄爵滋

仙屏書屋初集詩錄總目

卷二　計詩六十九首

編錄

姪秩昇春昀

壻余紹芸師竹

門人新喻張懋芝雲閣

泥印排檢

涇縣翟金生西園

翟廷珍玉山

翟一熙子敬

翟家祥餘慶

門人翟文彪季華

門人翟一蒸子雲

門人翟承澤朗仙

門人翟朝冠章甫

道光丙午冬月家大人以仙屏書屋詩初集底本郵寄涇縣翟西園先生處排印泥字活版計五册每行十八字先生因所試印尊著字有未合另用一種小泥字每行加三字將底本重鈔於丁未九月付工先生子輿甫一傑與其弟燠然一新書閣乙燃聚堂其奎秋江澄文於書成之後兩經校正誤字排印集前以便讀者核改仿戴東原先生成式也今歲五月輿甫偕其族叔季華攜書四百部親至豫章秩模謹加勘讀於所校正外復有刊誤數十條統計前後共若干條輿甫欲攜歸續行排印而索觀者衆勢難久待爰就坊間刊列如左戊申季夏男秩模謹識

第一册

自序三葉十二行忠錯作深　五葉末行論神木錯作神木論　六葉十三行弟十九字於錯作爲

卷一首葉二行宜黄兩字應移下一格勿空後四册仝　二葉四行八錯作入　四葉六行鴟錯作鴟八行盧錯作盧十一行鴟錯作鴟　五葉十二行冷錯作冷　七葉十一行漫錯作浸　九葉二行浩蕩錯作蕩浩

卷二二葉六行室錯作空　五葉十一行微錯作徵　六葉末行干錯作于　八葉十行

龍錯作門十一行廉錯作簾十二行謗錯
作謗十五行篪錯作篪十六行門錯作龍十一葉二行
喙錯作喙十二葉七行八錯作入
卷三四葉三行鴟錯作鴟九行少食錯作食少五葉首行點錯作昴五行挂錯作挂十五行戍
錯作戍六葉五行十錯作才七葉末行妾錯作妄八葉首行蛾錯作娥八行鍾錯作鍾
九葉四行車駕錯作駕車催錯作摧
卷四二葉十七行掾錯作椽六葉十四行疆錯作疆八葉八行損益錯作益損九
葉十二行亡錯作忘十二葉十七行弟十九字宙錯作宇

弟二冊

卷五二葉十三行棟下脫註叶字十七行蕉錯作焦三葉六行註自弟十四字巳下應提行排

寫四葉三行痛錯作旦五葉三行裏錯作裹六葉十七行日錯作曰八葉首行不寐下脫二首兩字二行畝錯作畝十六行高堂錯作堂高十葉十五行篪錯作篪十一
葉末行義錯作養
卷六二葉十一行快錯作快三葉十四行入錯作人四葉首行伏錯作伏五葉十三行叱錯作化十六行土錯作士六葉十行代錯作伐末行年錯作平九葉六行嶶錯作嶺
九行蝪錯作蝪十一葉三行妒錯作妬
卷七三葉六行警錯作警七行慕錯作慕四葉十六行我錯作我五葉九行簿錯作薄
六葉十行註自弟十三字巳下應提行排寫十五行麋錯作麋八葉十三行陘錯作陘十
葉四行蛾錯作娥九行己錯作巳十四行筌錯作荃十一葉十行鍾錯作鍾

卷八二葉十一行瑯錯作琊五葉十一行畫錯作盡六葉首行化錯作花七葉四行如錯作知八葉六行雨錯作兩十葉八行會錯作曾十七行潤錯作潤十一葉首行東錯作束九行麋錯作糜

第三冊

卷九首葉六行辨錯作辦二葉七行河錯作和六行汝錯作爾十四葉七行三殿入行宮樹均應提行十五行颸錯作颶五葉末行耄錯作髦六葉末行何錯作河十三葉三行摧錯作擢十四葉首行慷慨錯作慨慷十五葉首行胡錯作湖九行賊錯作賊

卷十首葉四行勿五行勿六行勿均錯作忽二葉四行冥錯作明三葉八行弟八字如錯作知四葉十三行吉錯作古十七行蕉錯作焦五葉末行草悅錯作悅草七葉四行弟十二字闕錯作闋十葉十四行資錯作濱

卷十一二葉十五行太錯作大三葉九行高峯錯作峯高七葉九行志錯作士十葉二行訴錯作訢

卷十二首葉七行短錯作矩二葉十五行十錯作千十七行未錯作末四葉九行隹節錯作節隹十三行註嘗錯作常十七行戌錯作戍九葉八行戌錯作戍十一葉三行倚錯作憶十二葉首行窺錯作規

第四冊

卷十三二葉十四行坐我錯作我坐四葉十三行波錯作沒八葉十二行鴟錯作鴟十葉三行戊錯作戌十一葉六行瀫錯作瀫九行鴟錯作鴟十行犬牟錯作牟犬

卷十四首葉十四行弟二字於錯作爲二葉十二行颶錯作颾三葉首行顧錯作顯
二行腹錯作復六行拓錯作扼五葉十七行棉錯作緜六葉首行權錯作摧七葉四行
方錯作古八葉首行先錯作光十葉六行于錯作干十一葉十四行蜜錯作審
卷十五二葉六行註譚錯作謂六葉七行曾錯作會七葉首行註塘錯作堂十
一葉八行雄錯作盛十二葉二行壤錯作壞
卷十六首葉十二行洄錯作緣四葉十四行盼錯作盻五葉七行嶶錯作嵡十五
行註搨錯作榻十六行註氏錯作民六葉十行密密錯作蜜蜜九葉八行過錯作遇十三行毋
錯作母十葉末行註搨錯作榻十一葉五行註曰錯作日

第五冊
卷一三葉四行會錯作曾七葉十□行綵綸應提行十二行錯作另行八葉十五行羅
浮錯作浮羅九葉五行麋錯作糜十二行註敵錯作敵十葉十行註謂錯作謂十三
葉十五行炕錯作坑十五葉十行熱錯作熟十七葉首行與下愠下均脫註叶字六
行註圖錯作圖
卷二五葉三行註祉錯作祉七葉十行居錯作屆五行敖錯作遨十八葉首行訴錯
作訢九葉七行北闕應提行東錯作人十一葉首行綵錯作綠十三葉十五行註
蘐錯作護十五葉十七行虛錯作飛十七葉十二行薇錯作薇註己錯作巳十八
葉三行此錯作比

仙屏書屋初集詩錄卷之一

宜黃　黃爵滋樹齋著

鹿洞書院

維舟落星渚遙望五老麓谿亭橫夕陽洞門隱秋綠緊昔宋淳熙宗風暢朱陸雨曜揭高言餘光百家燭我來肅瞻拜俯仰懷遺躅嘉樹爲摩挲天葩散芬馥夜深巖岫間更叫古時鹿

由白鹿洞入三峽澗

昨從鹿洞息巳臥廬山雲鳥語破殘夢松徑明初昕出谷復入谷十里峰巒分亂石如怒獸森然思攫人風濤出其底晴晝雷車翻萬泉湧一刹窈窕迴驚湍老僧出飫客廚湢清且寒須臾笑謝去沿澗探靈源

登五老峰絕頂

盡俯東南幛嵯峩丈七千谿猿窮仰視雲鴈沒低穿帶引長江小漚搖左蠡圓浩歌風色壯杖笠亦翩然

廬嶽祠

荒祠遙矚落星墟笑指鄱湖一掌如半壁靈旗自風雨千年戰蹟但龍魚濤聲曉壯連蒼峽石氣秋高接碧虛

回首嶽雲無障礙何時相傍五峰居

棲賢寺觀許虎頭五百羅漢圖歌

厓虎怒鬪林風腥淵龍晝起號蒼冥石人峰下無人聲深巖絶壑騰精靈須臾此身入圖内耳無雷霆目無岱但見虎伏龍亦馴尊者五百觀自在天眞爛漫誠吾師願隨尊者遊以嬉尊者顧笑不言答以心印心微示之變化出沒不可倫九十九億惟一身眞者爲幻幻者眞何來許虎頭妙筆能通神眼中具足三明六通八解脫紫衣銀鉢揮霍無邊垠當年方伯勤宣藩以此名跡酬名山宦海風濤足閱歷一一寫照窮神姦此金方伯自題語意我持此圖等持律暫借蒲團禮禪室憑欄試看五老峰萬丈金芙晃佛日

萬杉寺

四大字碑古三分池水清偶隨樵路入恰向寺門行雲過林猶影風來石亦聲上方秋色暮渾不定陰晴

秀峰寺

五代舊禪關仙靈自往還鶴飛清磬外僧定白雲間坐石心同古聽泉夢亦閒讀書臺畔月流照滿空山

自瞻雲寺還宿秀峰次晨返櫂有作

山翠如新衣谿流若明鏡寂靜本道心逍遙亦天性但
驚耳目奇那惜腰腳病朝臨南唐臺晚造東晉徑金輪
插漢高玉簾懸澗淨裊裊無幾時巖岫蒼已暝平途何
微茫山路復蹭蹬緩步入梅林息影傍琴橙五斗傾雄
談七椀恣清輿夜半山雨來天風動鍾磬驟勢檐瓦飛
寒聲屋溜迸侵晨望懸瀑河海盡梯隥厓谷陰雷奔霄
漢素虹亘玉潭不敢窺恐被神龍逭浮雲漢陽開夕照
香鑪映暫此別山靈五日留新詠

章門旅舍與遊廬山諸友話別

湖山幾樽酒天地一身秋秋月依然好秋風容易愁

山中吟

夕陰暖山色古碓喧谿聲谿邊獨鷺立山頭新月明

人日即事

梅花隱春郭夕煙橫翠微東郊寂無人薄暮扃柴扉谿
流不可揭鐘磬催人歸歸來上高閣寒山暝四圍倚檻
發幽聽繞澗春泉飛

往南城道中作

油雲翳山巔陰風生峽曲澗水怒如雷厓樹大於屋山
中春色遲三月寒猶宿

即事

老樹晞朝陽凝霜散作雨物氣斂亦舒欣欣爲向午捲
簾望寒山山色逼虛戶我時置一編俯仰自今古輿到
輒豪吟松風答四鳴娑拖到夕曛當階一延佇衆動忽
復息吾將醉清酤

疊前韻示盧生

天寒意亦佳連旬喜不雨曉起循階除負暄到日午凍

蠅飛上窗乾雀噪當戶安得同心儔把臂論今古林鳥
駭羣飛孤雲浚層鳴鳥去雲自來此境宜艮竚愧非揚
子雲屢任載清酤

文廟古柏

幹聳沸朝霧枝疎漏晚星根盤階石古葉蔭殿檐青半
剝輪囷質終全礫砢形夜烏巢最穩遠勝託郊坰

己卯三月初九日作

春事行且暮人意愁久霖巡檐索佳興生機潛可尋常
棣亞紫萼海棠低綠陰種蘭驗幹長移蓉識根深積溜

一俯瞰明鏡如空臨卉木盡倒影夕翠交沈沈兒童何處來喧囂不可禁得魚付諸僕將以溉釜鬵

明月詞二首

明月照天上流光滿地發但愛地上光那識天上月

今夜兒明月明月不我違昨夜望明月明月何遲遲

晚登來鶴亭同郭韻堂

瀘陽三百家攬之不盈掌炊煙眼前生須臾變蒼莽危亭此登陟高下一俯仰不覺城市喧但聞谿碓響斜陽下山盡明月向空上牽裾不忍歸惆悵東君往是日送春

登閣

天意變晨夕陰晴每殊狀獨有眼前山終日屹相向雲去復雲歸吐納悟無量對此情爲移踟躕轉疏放冷風透客衣微雨雜樵唱暝色無邊來幽情暗相俞卻憶昨宵遊明月滿青嶂

次韻余東才登閣晚望

一雨散深墨四天垂遠藍楹蛛泫岩絲檐燕坌紫領是時夕陽高萬笏排西南松翠暖欲滴萏華鮮正涵奇數雲外石爽吸霞邊嵐須臾徧蒼暝野火生谿潭碓喧近

郭舍鐘動前山龕

雨後復登閣

東峰障宿霧西嶺橫晚霞綠鮮濯林木紅潤蒸園葩池
光亂飛螢溪響喧鳴蛙

觀螢火作

閏夏透宿雨草樹含餘清飛螢何閃閃滿院流繁星顯
晦有定節行止無遁形高欲入雲慶低或隨風縈拂竹
知蝶避窺池想魚驚明光一相照露坐渾忘情

東才先生將歸德興臨別有作

瀘谿本僻壤山長如塾師鹹虀比厚餉薄脡儕多儀先
生饜謀道澹泊夙所期逝將棄我去雋言旋四驪昨者
館中人齗齗前致詞小人侍君子三月執爨炊君子一
朝去無以爲別離有麴一筐筥有酒一甌瓿下之一臠
肉佐以一母雞願言屬一飽聊罄衷誠私先生拚一醉
名我同飲斯傾譚彼卒寂感慨還繫之區區一館人古
道乃在茲嗟爾輕薄子醇風委塗泥

偶述

石榴紅到蟬聲老水荇青餘蛤吠荒窗外梧桐飛一葉

白雲黯黯月初涼

山行遇雨

驟雲南山來隨風度北澗中有噴海龍呼吒崖谷變萬樹化作濤澎湃無畔岸樵牧走且僵雞犬驚散獨有谿邊鴨歡喜溯急瀾

曉發檀樹坑

夜臥風泉窗蕭蕭山雨鳴開門看天色曉霞東嶂生少頃執早爨征夫起晨行山花繞磴道泫露如有情肩輿入萬竹回首煙翠橫

舟至溫家圳大雪次夕雪霽乘月夜行

朔風吼凍雲飛雪浸如海亂山鬱暮陰虛壑散遙曜冰槎儼其乘瓊田疑可采明月破宵來千里空積水一櫂入銀臺雲鶴遙相待

玉山旅舍

旅榻下孤樓危軒倚急流谿風一夜響殘夢尚扁舟

常山過李牧臣因憶遊廬山諸

廬山山前鴈侶稀雨傍湖東一水西獨有南來雙鴈影乘春同向日邊飛

衢州舟次除夕

鼓櫂下大末，明流動春暄。汀綠甦草意，岸青濛柳痕。茲遊愛煙景，矧值朋好敦。其酣風波夢，復飽煙霞餐。奇氣逼金劍，壯思翻銀瀾。入暮四天合，猶挂臨水軒。江船絢明燭，不知煙樹昏。高談無俗侶，環坐如諸昆。且結忘形契，一醉迎年尊。

閶門曲四首

郎船錦作颿，儂舫桂爲檝。桂檝搖郎心，錦颿照儂靨。

蕩蕩靈巖雨，拂拂蘇臺風。風吹郎鬢綠，雨洗妾顏紅。

一櫂載郎去，延緣香水溪。劃開青瑪瑙，照見碧玻瓈。

郎上眞孃墓，墓邊芳草陰。妾下白公隄，隄邊飛絮深。

由皂河至邳州雜詩三首

桃花涴地楊柳青，黃鸝閒關枝上鳴。東風吹塵塵不漲，春隄欲暮春波平。金尊玉劍江南客，綠鬢華年自憐惜。春陰二月尚餘寒，逼透重衾夢難得。

煙隄萬樹迷斜陽，柳絲撲馬如鞭長。馬蹄蹀躞輪轂轉，驚破啼鴉翻遠塘。塘邊細草蘼蕪積，綠自江南過河北。欲識閨中憶遠情，但看王孫馬前色。

明霞照水天欲落小舟低繫垂楊脚少婦攜鋤向道旁
擷取春芳手盈握河流蕩浩春波迴素書不見貽銀鯉
惟有征鴻隨好月空教夜夜故鄉來

由小順河集至小白沙河作

中田苦陸海四村如大環村缺補以樹樹疎綴以山山
樹都斷處水雲空往還行行欲何宿遙指白雲麓蒼茫
煙樹間漸見幾茆屋游絲熗容巾輕塵拂馬足不逢南
歸輪但覩北行轂

風

茫茫起大野獵獵來平皐吹塵若噴霧捲樹如驚濤霄
鴻振雪翮塞馬翻銀毛燕筑悲荆卿沛歌懷漢高

二月十五日早行轅端望月

團團三五月流照汝陽城但有客衣影相隨輪馬聲眼
裏白雲逕鬢邊風露生姮娥不成寐相望徒盈盈

齊謳行

泱泱表東海大風何雄哉九合想嗣烈射鉤洵異才傷
心路寢坐揮涕牛山隈陳斛既毀坼田墓爲荒萊周道
曰有蕩載驅自南來春光發隴首攬轡紆褰裳岱雲如

白馬。河濟交灤洄。徵歌命儔侶。客旅擬粱埃。盛髯豔明燭。翠袖傾金罍。綿駒雖不作。紅顏爲爾開。長鋏且莫歎。商歌且莫哀。雞鳴出門去。北向黃金臺。

中秋雨夕用歐陽文忠公席上遇雨詩韻

七夕八夕巳岑寂。中秋秋深誰爲歡。青琴泣罷少人聽。紅燭燒殘有客看。菊影亞窗宵漸冷。槐聲破夢曉難乾。姮娥不見過雲殿。神女空驚下灌壇。

枕上聞風雨作

紙窗獵獵驚風鳴。槐龍動地犇濤傾。孤鐙入曙炧不明。樓鴉縮頸喑無聲。嫦娥昨夜辭南榮。雨師赫怒不可平。我欲出門不得行。美人不見心則怦。何以寄之瑤瓊英。

丁氏女

丁氏女字又姑安徽懷寧人許字同里胡氏子從儼胡年十九患咯血病且劇又姑母遣人視還言從儼瘠甚殆難起又姑聞語即色變已而里中傳胡氏已爲從儼庀明器又姑時與婢坐顏甚戚夜靜咍婢先寢遂投宅內池中婢哭言又姑自知胡病每夜望空拜禱微聞其有願以

身代之語復於刺繡處得片紙書云從一而終
婦人之義今聞壻病垂危誓將身代如不可挽
正復相從地下願毋勿以兒故傷懷胡於是夜
分忽甦求湯飲後得就痊又姑同懷兄變具述
崖略我師吳梅梁先生命作此以彰之
丁氏女胡氏婦胡子之死丁女受女死夫驚阿母阿母
不知壻生但垂泣漣洏壻死女亦無有女死壻得生婦
能生夫夫死婦非夫死婦婦不死夫無有夫病壓不治
縱弗能生死當偶書告母兒有兄事母勿以兒故傷吾

母婦既死夫得不生夫既生徒死婦天乎天乎何以慰
婦母噫嘻孅婦能生夫天乎故未死婦

仙屏書屋初集詩錄卷之二

宜黃　黃爵滋樹齋著

移居蓮花寺

蕭寺霽雪後委巷落照初入門招我友携具促僕夫問時正臘八飲粥宜佐蔬既能安几席亦可辭塵污玉川住坡屋泉明稱愛廬寄懷雖異適所求同有餘來春綠陰滿鳥聲和讀書

時興

隆冬多嚴威百卉感彫落原野何蕭蕭飛走失寄託忽此春氣融生機先沃若雪中老幹羨冰下潛魚躍物理適自然及序無乖錯携酒置高臺呼朋與之酌仰視浮雲開靑冥大如幕浩歌臨長風送響入寥廓春華會有時努力須行樂

潘穀士惠蓍草

蓍德圓而神斯義叶幽贊小草立天地萬數由之判我聞蓍百莖壽爲諸植冠上有靑雲扶下有靈龜捍花如金墩明實似冰臺燦翦伐向靈蓑條直理不亂羲墓日正瞻孔林露猶潤堪同天球陳不數金芝薦

崇效寺看花卽題拙公紅杏青松圖卷

海棠大於桱東西交瓊柯繁英亂蜂蜨花氣成雲窠梨
花倚牆角暖玉瑩可搓丁香舒萬纈罨靄濃芬和孤枝
忽挺出渺若仙陵波花花各異態樹樹春風多春風發
春愁春鳥酣春歌嬌花落眼裏誰揮返日戈拙公舊解
去新城歸山阿異香發翰墨虛空頻摩挲

崇效寺看花作

東風吹盡海棠花又見祗林散彩霞四面濃芬迷蛺蜨
一天疏雨泥香車色身偶幻莊嚴地春夢偏離富貴家
幾處馬蹄能避得不堪狼藉重咨嗟

梅梁師與吳仲雲祁春浦兩太史疊用東坡詩韻

酬唱爰命亦和卽以述懷

天門詄蕩黃雲黃漏旭照眼輝鳳陽博山作爇香化燼
端溪欲凍膠凝光玉堂仙人誇白戰但有腕脫無手僵
小兒咋舌望且走六丁攝取須提防錦囊示我不忍秘
立雪幸得依門牆清鐘昨夜發鯨響荒雞斂翼潛僧廊
追尋幻夢不可得搜索故紙如有亡寒愁百斛那可埽
有似病葉翻迴塘安得江郎五色筆麾除魔孽招吉祥

天公爲我賞奇句萬花飛舞崑崙觴

答李牧臣并寄徐東松艾至堂三首

别地半萬里别時逾二年思君不可見春花發眼前昨者寄我書兼遺新詩篇知君故山裏嘯歌無俗喧命姬種香草呼兒汲新泉明明燕臺月杳杳廬山雲雲聚有時散月缺當復圓

故人徐與艾抱才實不羈騏驥困負軛焉能不長跳巨鱗生幽壑頗挾風雨姿當其涸轍處螻蟻且撼之循環信天數遇合會有期智士慎葆素哲人崇知幾君其益勗德其兼雲雷時

僕也居長安咄嗟大不易買酒錢既空乞米帖頗費琴瑟違所張膳餐竊厥劑秉官亦尋常鄉里頗詫異高堂或幽憂謠言感騰沸傍徨逆旅心中夜那可慰朱門多公卿性懶疏投刺紛紛輕薄子結交徒取戾忘懷恣談笑知已賴一二花木得比鄰枕藉尋初地卻憶江南春故人多樂事

答郭羽可二首

明月出雲際照我羈旅人閒步佛庭下心聽無纖塵古

樹戛微風天籟幽以喧乍如急管散旋若哀絲繁間此動百感况誦君子言中宵那可寐坐怯衣裳單百年爭富貴壯歲亦已侵醯糟汨世味塵土霾靈襟胡不念轉瞬無聞焉足欽意氣周六合人海嗟浮沈腰間有佩劍夜夜爲龍吟願持報知已鋒刃恐不銛

贈劉蓴卿還赴荷澤

燕草綠如夢王孫遊不歸如何酒樓畔漸惜馬蹄稀城郭隱深樹關山橫曉暉侍親東海去君計未應違

贈郭羽可

詩人遊戲作畫師古之與可今羽可九華石頭朱竹攙萬春亭子絳梅嚲腕底孤雲片片飛毫端疊雪纖纖墮微妙胸含泰谷春幽寒手卻炎山火長安人海君不知出門往往悲路歧胸中丘壑羅浮奇瀟湘萬頃峰九嶷几塵積寸不用埽刻指作畫爲娛嬉吁嗟乎君垂老矣我壯年意氣投合膠漆堅爲雲爲龍不可得升沈離合那有極乞君畫筆爲我師要取精靈略形色

顧藹庭招遊通惠河同篛夢巖陳聲叔余芝衫

長夏鬱盛暑倏疑秋氣新蟬鳴聲在水魚戲影依雲露

花晴更溼風葉合旋分聯言同舟客行樂須青春

甚雨過顧藹庭

雨勢浩如海夏庭生晝寒衆險浮近榻深翠滴迴欄荷葉珠零亂榴花火噴殘卻愁冰簟上推枕起微瀾

中秋艾至堂話別

擬向津門溯海潮暫留佳節遣良宵樓臺欲雨龍更靜關塞無風鴈路遙劍脫紫鐔孤客贈琴彈綠綺故山招嫦娥偏隱雲中面怕聽人間話寂寥

饑烏行

五雲城外多飛烏烏飛啞啞哺其雛烏雛得食飽且飛不知其母猶腹饑皇天雨粟不易得一粒之餘皆厚澤竊脂豈足飫膏腴啄木愼勿爲戕賊君不見易水間波瑟瑟兮沙漫漫斷葦蕭蕭霜葉乾茆屋摧破悲風酸爾烏攜雛格格向何處朝啼饑兮暮號寒

遊保定古蓮花池

風塵汩眞趣水石遇至巧隔嶂接藤梢夾波通樹杪敗荷風蕭蕭殘柳煙裊裊石竇撲飛魚橋闌立啼烏落葉堆帽檐遊絲罥衣褾來趁下澤閑歸謀脫粟飽疎磬出

寺龕斜陽挂林表

由伏城驛至藁城縣雜詩二首

冷雨疎風暗拂韉五更涼透薄衣緜柳絲萬縷猶寒綠搖動棲烏醒不眠

秋菘一片綠成煙飽漬新霜味倍鮮愁說今年河水漲荒畦多半未耕田

落葉

將離猶戀樹無奈午風顛颯颯如吹雨霏霏尚帶煙打從鴉背側翻過馬頭旋流水殘陽外飄零亦可憐

邯鄲觀

虛檐四面挂星斗用百菊溪制軍所書楹帖句日月穿戶風雲走靈仙之居何所有到門千里除煩垢臨洺關頭驛馬秋塵沙莽莽愁復愁眞靈位業無人問濟世神仙不可求

鄴下懷古

落木關河策馬來魏家營畔首重迴舳艫戰罷江東覺絃管歌殘豫北臺九錫功名終禪代一家骨肉起嫌猜建安事業空流水詞賦應憐七子才

謁比干墓

下車循墓道瞻拜肅儀型石碣聖人筆銅盤天子銘寒泉酒日白古柏積煙青禾黍朝歌後溪毛萬古馨

黃河篇

君不見黃河一石水六斗泥水不可以止渴兮泥不可以充饑河神赫怒仇民之依稻田水府麥隴汙池馮夷虐兮民何之蛟龍樂兮民號嘑東田天不雨西田水成壑縣官一日三報災上吏聞之驚且愕關津皇皇
天子之詔蠲租發粟
天子是悼吏奉

詔兮民犇食吏不肥兮民不瘠河之南兮鄭有洧河之北兮衛有淇河神赫怒風雨飛河南河北民無歸馬無足兮車無軑馬不得行兮車不得曳吁嗟長途兮重顛蹶背秋涉冬車聲隆隆水石犖犖風沙濛濛我行河濱兮請河之神巡河之側兮告河之伯已往不諫兮來猶可追上有
聖主兮民所毗愼勿赫怒兮俾民流離

過潁橋訪許由墓潁考叔祠不果

古墓傳空谷荒祠問水濱姓名其千載廉孝屬斯人邮

樹寒煙暝溪橋夕照淪吾生勞襆被錄錄厭風塵

裕州道中

新霜如雨下平疇一夜蘆花盡白頭只有東籬顏色好
教人相對不知秋

抵樊城作

浹旬風日吳忘卻道途艱帽壓寒花影樽澆病葉顏馬
頭千里月船尾百重山小住樊江上登臨興未慳

襄陽覽古

江山空霸業龐孟有襄陽漢水幾千里鹿門新月涼魚
門收變化城郭入蒼茫神女渺何處言尋解珮鄉

徐廉峰前輩爲題遊廬山五少圖次韻奉酬

文章誇李杜騷歌憂屈宋湖山滿天地要自供吟弄自
予别匡君鬱鬱之孤縱刺眼浮雲多撲面飛塵重九州
不徧遊五岳未遂狂回首玉峽泉珮環空斷夢知交一
二豪壙麂擬伯仲詩敵怯秦吞文戰愁魯鬨郭子翊喜
閉龍艾堂王趙埴夫多歡從采壯江傾峽氣雄華峙嶷諸君
猶息鵬賤子輒攀鳳關河一判襼迢遞情誰貢孝嗣金
蜀彥汪籍後先其舊住黃山雲移家撐章滇示我壺園

詩如霧披芬霏仙佛自爲鄰市井不得控暫作白雲留
將謝青山送江漢趨東瀛派別信兼衆渚月照清吟皋
蘭媚幽飆鶻鵠千里颿黃鶴九霄鞚與來耳目開寂彼
襟懷綜詩槃問長波鐵鎖尋幽洞臨風一徘徊茫茫宇
宙空嗟彼鬬闐徒擾如雞處甕窮年汩風波終古噎塵
霧欲傾肺腑誠一叩伊蒲供瑱函珠玉遺瓊篇律呂中
茗鑪調夜笙壓研滌寒淞願學海鯨賡勿爲山鳥呼相
過意如何同心庶可頌

由晴川閣徑大别山晚歸

漢影雲邊合江流天外來中峰人獨立傑閣首重迴萬
樹寒霜落千颿夕照開登臨怠薄暮還問伯牙臺

登黃鶴樓

大江東去向黃州黃鶴仙人此舊遊風色曉嚴猶禁渡
日華秋靜獨登樓桃花祠外盈盈水芳草洲前點點鷗
紅樹青山無限況且擡醉眼破閒愁

廬山

廬山余故人相見如欲語八年别五老磵石徒延佇華
髩雖未雕流光那可數念子形神勞憐子風塵苦夙昔

嗤尚平昏嫁還集汝使我松與柏鬱鬱無儔侶天風捲長江掀浪若雷鼓瓊花萬島飛玉幹千林俯寒虬夜半號潛蛟起爭舞匡君怯白頭自裹雲絲處招呼忽不膺神往氣後沮乎生三十載百端結情緒無因脫羈馽已自慙簪組出處亦何常盛年力當努望道志不堅悠悠恐終古石尤更打頭歸帆不敢舉枯坐腰莫伸病臥頰自拄山靈如有意使我不能去君看前山雲茫茫正作雨

往瑜源道中作

君看農樵侶往來無暫停驅牛下田水避雨聚山亭楝老花飛白秧分渠散青池塘猶未午蛙鼓已堪聽

謁杜子野先生墓

蛟雲（峰名）雲氣接青天指點遙知瘞昔賢一石何慙高弟報六官惜誤本師傳定林寂寞三千里宋社邱墟七百年只有下湖塘畔水朝朝嗚咽墓前門

贈徐東松

徐生徐生天下才拔劍斫地何雄哉高懷雅抱世已識眞體大用誰知推下筆常驚風雨入篇成能使鬼神泣

安得為君前執羲和鞭朝遊咸池暮崑崙鸞翔鳳叫帝之閽凡羽斂啄無敢喧不然相期拾瑤草絳雲白鵠與爾為往還君來訪我三伏天山溪毒熱愁相煎一雨妙得天公憐贈君青瑤一片石君應報我赤玉盤勸君且飲君勿眠明星爍爍窺檐前

題余氏梧陰書屋

處士植七松先生栽五柳何似龍門枝堪作鵷雛藪桐花簏簌春風深桐葉蕭疎秋滿林青溪一曲洗花影碧山十里環樹陰寂寂虛閣臨江渚開軒時揖漁樵侶種

樹百年人已古猶聽書聲出廊廡

石碧

巖開太極自何年（志載下碧太極巖譚襄敏題）枕石高眠盡散仙谷口六時迴靜籟峰頭一綫入遙天傳鐙欲問馬師法擲簡誰如慧祖賢君看象王山下路客衣多被薜蘿牽

題譚襄敏遺圖二首

甲申假旋獲觀襄敏公點將征倭二圖其點將圖有臨川李穆堂先生題詞公後嗣因舊紙漫漶重裝幀額屬更書之因附詩於後

公師古大儒龍蛇失睒矐公友古名將鷹鸇震寥廓令
絶八閩通心甦四海涸年少稱知兵老成恢畀略想見
奪情時天心實公託我昔登廬山穹碑大可摸烈哉王
文成厥功辦海嶽經術本亘知所獲皆心學公才濟以
誠（公生平與諸將書多以才誠二語爲本）頡頏殊不作
書生不知兵撫軍實執咎（謂游震得）公德救生民匪爲彼援
手洋洋入閩彊颰風翻海檣猛將大羽箭戰士突火槍
金鼓咽滄波殲賊如殲羊飛書奏神捷天顏動廟廊公
歸而讀禮忠孝兩不妨公之所不朽此圖焉能詳獨有

鹿門子爲公生慨慷

仙屏書屋初集詩錄卷之三

宜黃　黃爵滋樹齋著

百花洲

百花湖畔百花明花氣冥冥湖氣清湖雨湖煙春漲漫
花開花落碧山橫蛛絲罥檻纏緜結虹影迴波曲折生
歲歲舊遊攀折地曉風楊栁最牽情

春日即事

節過清明將穀雨風光最好是山家梨花萬點溪頭雪
荆樹三重屋角霞紫燕呢喃尋故壘烏犍滑澾試新杷

早炊忙煞鄰人婦夫壻今朝去買茶

雩都道中

嶺雲蒸蒸如爨煙溪雷殷殷飛怒泉怪石犖确猛獸伏
榕松杈枒神虬眠樵夫蹻捷殊自樂客子畏縮不敢前
山花獻媚勸客醉醉眼看山山入天

盧繆峰吟贈環翠樓主人

二盧仙去鶴不歸靈山萬古仙雲飛仙雲影影如蓋大
仙風泠泠吹入彼主人愛泉泉水寒主人愛石石可餐
環翠樓頭翠千尺倒入深盃酒花碧洞中雞犬雲中鳴

落花細雨春冥冥

梅江舟中望金精十二峰歌

奇石四十里洞天三千年浴湖仙去湖水寒落花寂寂風雨殘枯松倒鶴藤挂猿峰頂白雲峰腰泉九子魂魄縈其顛天風夜夜號伏虎雷神劈空震天鼓木鵝孤翎側漢飛蓮花萬朵淩波吐奈何呼石石已頑飄零空有雲中椽我欲從之招散仙仙乎一去無主人

梅嶺

買櫂沿貢水南行逆章流一宿東山下遂登臺嶺頭昔賢此駐馬勳業恢王猷雄關控海嶠隘道通蠻陬千人蟻盤入萬足魚貫投古松蔽赤日清風良可休試飲六祖泉泠然心肺秋

登韶州九成臺

狄咸去矣東坡死臺上夕陽臺下水誰能飛入九霄裏西叫蒼梧之聖君東謁尼山之夫子踃首百擽頌天人異代君臣同一揆元音淪落知音亡大雅不作吾道傷黃鍾毀碎瓦缶鳴燕雀啁啾嘲鳳凰我登斯臺鬱懷古九京不起誰其語願奉鈞天奏玉皇一洗淫哇清八荒

呈觀察夏森圃前輩

惟

帝恤兵民倉儲關上理包貢停珍錯正供賴彊以瑞穗

降楚庭

皇仁久漸靡當時劉王廩區區安足比此邦多異產豪賈競爲侈手可碎珊瑚目不識耒耜誰將萬田花化作千堆米復古資儒宦觀民仰太吏莘田今繼蹤英聲播海涘清剛無媚骨審固有直體政暇文讌開亦復訓壺矢高閣敞嘉樹對山白雲名山起悠然霖雨心徧將六合灑

紅雲詞二首

荔支灣頭荔支熟紅雲齊墮珠海曲珠孃駕得珠海艘紅雲齊擁玻瓈窗紅雲狼藉不足惜且盡主人紅玉觴夕陽閃閃翻雅翅忽忽已被紅雲醉傾盃化作彩橋虹潮水別人還向東

潮水東流去復回明月昨歸今又來嫦娥夢墮荔江水妒殺江頭碧衣子纖纖玉手披絳紗瓊漿膩頰香沁牙莫問紅雲昔時宴明朝怕訪素馨斜

唐荔園二首

昔時穀寞昌華院今日陰森唐荔園羸得藍紅與江綠故應劉鳴讓曹墩

齋後新移珠浦橈西園景物任逍遙唐家紅騎劉家宴一種興亡付海潮

擘荔亭二首

主人愛荔兼愛詩詩成啖客延綷妃我同看竹不相問櫂向海雲深處歸

碧玉彎環水木鄉競傳擘荔好風光政宜食少論滋味莫恃瓜魚解熱湯食荔支熱以鹹魚苦瓜煮汁解之

峽山寺

千山眞斗絕一寺儼飛來雨勢峽中急泉聲天外哀猿歸何處洞魚上幾時臺漫把禺君袂扁舟重溯洄

觀音巖

船泝湞陽之上游峰奇石詭堆舵樓觀音潭水不可測窟宅隱隱橫蛟虬嵯峩靑壁一千丈嵌空石腹深且幽然岸徑入百怪避窸窣直欲窮冥搜仰攀闌檻俯躡磴有似枯木緣獮猴褎裒闇室乍若暝豁然天地來雙眸

嚮者經過曾不識到此頑石爭昂頭鐵瓮迴穿戶眼笑

鐘乳倒挂檐角鉤蓮花石上老佛笑摩盪元氣爲我舟

羣山拱向儼合什香煙一氣淩女牛胸中卭壑不薊薆

吁嗟智藥（西域僧）知吾不

過挂角寺謁張文獻公祠

十笏維摩剎千秋相國祠嶺雲人駐馬關路客摩碑昔

我南樓望空懷明月思凄涼斜照影遠送曲江湄

梅關行

垂髫女作賣菜傭裹頭婦作戴笠翁戴笠關頭日卓午

雙雙不辨誰雌雄男何不耕廣陌上女何不織深閨中

關路短兮夏徂暑關路長兮風及雨男關上兮女關下

力倔强兮心悽楚朝肩而糜兮夕肩而糧赤腳踏泥兮

頭蓬面黃願爲牛馬兮勿爲狐狼吁嗟行路兮中心傷

舟泊樟樹鎮

贛波浩蕩汪洪州戰蹟荒涼古樹秋嶺月帶星沈戍堠

峽雲飛雨入漁舟市聲作散人煙外鐙影遙明野渡頭

聞說魚龍今退避江鄉禾稻可全收

贈別盧籟亭

梧桐井上秋涼初生來訪我仙石廬生不能飲我自醉
縱譚文藝評密疎世間萬事煙雲如秋花簌簌春花徂
淚珠乃爲兒女枯黃泉霾白髮滴盡杜鵑血雖云心骨
酸莫使肝膽裂人生百齡能幾何歡娛日少憂患多男
兒三才不快意忍令堂堂歲月成蹉跎作歌送生歸鶴
山山頭明月愁照顔懸知寶劍有奇氣夜夜鐙前拂拭
看

雪後過嚴灘

七里灘前路銀峰夾鏡流風噓千樹勁浪折一溪柔魚
躍冰匡裏雞鳴石澗頭天寒何處泊落日釣臺幽

舟次三岔河登寺墖春望

揚舲瓜步水維櫂茱萸灣登高覽廣野江淮如帶環春
色媚晴雲演漾衣袂間馬橫蜀岡道鶴飲中泠山田圍
雜漁屋煙水藏市闤
隨
兩聖昔巡幸垂問閭閻艱民情樂以戴勠力紓且媚風
鳳蓋轉雨被
龍舟還眼前桑麻色

天上宵旰顏慎哉陳詩者勿蔽黔黎瘼

宿遷道中

荒雞喔喔報晨更河北江南夢裏程一自上元鐙罷後
只留春月照人行

由宿遷至銅山道中雜詩三首

長隄一萬丈弱柳三千株黃沙息揚簸綠煙浮虛無春
風蕩晴旭光浸駱馬湖忽將殘夢去飛墮天南隅

客從江南來問道歷邳宿地雖隸揚州頗不宜稻穀渺
渺河隄側聚梗不聚粟鴻飛向冥冥瞻烏集誰屋

河流解春冰奫淪與天平勢欲撼東海直挾江淮行千
郵入低亞兩隄夾高橫自從失故道往往嗟襄陵昔聞
半戈山驟漲傾邳城城中失雞犬淘作魚龍聲謝黃聳
廟祀豐碑垂經營人事苟不慎神力安所憑

燕歌行二首

春風駘宕融冰澌珠盤玉箸銀鱗肥纖纖素手調金絲
忽然對鏡顰雙眉抛紘掩袂空淚垂蕩子天涯去歸不
朝朝望君搴繡帷綠楊滿路桃花飛

妾身何有鴛鴦襦無端嫁與裋褐夫夫婿不憐冰雪膚

風塵淪落淚海枯容華幾何日月徂東鄰少婦娥眉紆如花玉貌嬌茹藘良人執戟直金吾夜夜香籠熏佩魚窗前明月光如珠

古詩八首

世人重黃金吾儕貴白玉白玉須待賈肯刖卞和足賢者審所處渾然守大璞光采縱弗耀污泥豈能辱

我有嶧山桐斲成清廟器但恐大古音難爲聽者媢松風萬壑迴天籟豈能閟鐘生偶逢耳伯牙自高藝

槐榆與橘柚在物稱弟兄質異氣則合何必同根生松柏蟠大壑轉使草不榮詎無雨露恩卑遠何由承

飛絮乘狂飆攪亂不可掇須臾涴塗泥形影已滅沒修篁障酷暑叢桂傲霜雪遐哉古君子林木植名節

雞鶩鬨鳳凰招之使其食鳳凰不肯顧翩然奮遐翼雞鶩飽自矜鳳凰饑亦適性情固殊尤高下非所域

董公既辟穀誅茆匡廬間種杏千萬樹結實彌空山卻笑西母桃一熟須千年藉非東方朔焉能分厥餐

仙人駕青鸞眞形鍊五岳藏之衣帶間百怪不敢作空潭藏毒龍幽暗恣睒矐安得鷫鸘膏淬爾芙蓉鍔

子晉愛吹笙棄養背庭闈令威善控鶴不惜人民非朝遊東海嶽夕駕崑崙池神仙亦勞勞吾生安息機

贈別余芝衫

秋風起庭樹涼蟬聲愈繁遊子命駕車摧促返故山故山何所事蒔爾三年蘭幽芳媚空谷可佩亦可餐持贈素心友寶貴何可言浮雲我與爾離合無定端此別見何日常恐彫朱顏碧倘儻可掇勿厭盈觴歡

贈李牧臣歸南豐

昔遊數淺原始得交李侯高歌裂雲石痛飲傾糟邱長繩不可繫逝水悲東流李侯未五十鬢雪先盈頭羊羔意不愜蛙鱔良可謀歸與入華子紅泉色不秋在山與出山此理誰能求

贈郭羽可南旋竝寄余東才

交遊十年間實獲兩奇士一隱鑫湖濱一居恩江涘鑫湖何淵淵恩江何瀰瀰涼風起秋塞吹冷桑乾水南魚信既稀北鴈歸亦駛匡君余故人堅臥白雲裏朝弄瀑布奇夕戲海絲詭昨夢見五老粲然啓笑齒鯨鐘忽在枕下牀月如洗行藏竟何如悵偏思君子

贈郭羽可

涪翁罷漁釣嘗爲大醫丞四難苟弗處一鍼差足憑君本郭泰流而兼郭玉能盡心到斯養仁愛殊不矜頓悟擅敏捷識付關精誠假君醫國手瘡痍能勿平五行犯厥沴六氣乖乃癥束手昧成方輸君眼獨明歲在辛壬間大疫苦夭札蘇駣有橘井杯水多全活考醫貴十全古義今誰述一囊貯太和儒生頗屑屑咽塞客能起啼泣吏終徂李成無藥死命數難獨逋仁者所用心要回天地枯瞑眩疾則瘳此理焉可誣

歲暮雜感六首

荒雞輟夜響峭風忽厲號披衣起獨坐耳畔盈調刁青鐙炯虛幌百感從之搖舊雨各湖海寤想憂心忉臣朔饑欲死范叔寒無袍古人尚乃爾來者何嘐嘐寒簾蠨檐際灼灼晨星高

晨起登高臺極目覽廣野古墓何蕭條飛霜殺楸櫝客言彼有知涕泗九泉下詎知當生年已自如夢也鄧禹儻笑人覩我何如者

隆冬易嚴威寒土挾微燥滕六溺其職龍公失相名深

恐陽氣洩竟被羣陰盜昨得故人書俾我增惻悼側知
中澤鴻哀嗸屢無告安居迫轉徙劬勞困河漕鹽國會
有人吾自理吾操
地用莫如馬天用莫如龍西師緬雲集普爾傾山銅冰
嶺艱轉輸馳馬不得通驅人如驅畜饟彼源源供願陳
王會圖計日看挂弓我糜大倉粟翰墨何勳庸
大儒立天地發言流心聲理袤出極險語鑿涵至精千
古昌黎伯日月懸光晶奈何侈貌襲謂可參飛騰愧非
雲與龍焉能隨降升我自立我法好古師其誠不見歲

寒木異幹同青青
詩心滿天地甘苦當語誰我有焦尾桐輒復調冰絲石
細路自古焉必逢子期知音惠然至有酒斟酌之不覺
宇宙間陶然浹吾思相對已忘言明月還來窺

仙屏書屋初集詩錄卷之四

宜黃　黃爵滋樹齋著

讀漢魏六朝人文集詩一百首

賈長沙

六經垂治法長沙抉其旨訊原傷係屬問服審逝止雖復短列侯終然屈天子

司馬文園

長卿筆淩雲大旨入風諫天子能友之迺以狗監見當世多公卿斯才胡不薦

董膠西

董生治春秋實抉陰陽奥尊孔黜百家厥功亦云劭咄哉主父輩衆口紛排娼

東方大中

四十四萬言臣朔少已誦浮沈智者徒正諫乃互用君看上林疏實抱斯民痛

王諫議

聖主得賢臣褒也稱善頌無疆以爲期勤求以爲諷如何漢宮人秪解洞簫誦

劉中壘

更生作九歎忠貞屈原偶元成漢祚衰法戒豈能受精
誠校尚書徒感然藜叟

揚侍郎

俳優斥靡詞覃思大元理煌煌卅五箴用法亦同旨惜
哉美新文不作乃可耳

劉子駿

子駿讀父書五行闡天紀是非衷聖經立左功亦偉言
與行顧違國師竟如此

馮曲陽

新莽下士時敬通義不事守道託丹豕立功報漢帝退
哉顯志篇自賦還自厲

班蘭臺

東漢領著作第一推蘭臺奏記薦六子有光東閣開惜
哉竇將軍負爾銘山才

崔亭伯

嘉頌結天子清誠抑權門憲府三十椽白衣誰能羣琅
琅瑗與寔世禪雕龍文

張河間

衡也觀太學遂能通五經制作侔造化子玉非夸稱詭對卒受讒思元空復情

李蘭臺

安得力士力歲暮翻日車惜險崇著述老筆生光華同輩多才學遺佚良可嗟

馬季長

漢代重經術季長稱拔萃讚笛因天姿閱躬易斯義弟懟北海元師負南山摯

荀侍中

漢紀三十篇傳體倣盲左平生志獻替論辨實多可王道仁義耳千秋鑒不墜

蔡中郎

伯喈感知音焦尾登廟廊所遇非其主名材終見傷仳離惜才女胡笳聲悲涼

王叔師

父子馳文苑佳哉王叔師立義託五經誰能通楚辭延壽遽玉折青緗誠可悲

孔少府

坐上客常滿尊中酒不空寬容亦徒爾剛直竟隕躬高情動義槩詎獨文章雄

諸葛丞相

武侯十萬言公誠括其旨此眞王佐才管樂烏足比功蓋三分國盡瘁乃可死

魏武帝

作書解孔融或云出路粹琨玉苟不毀慷慨焉能遂奉令慈孝兒胡不誦述志

魏文帝

三表不獲命乃被璽綬隆未聞堯舜禪貶作山陽公文章費金帛猶能知孔融

陳思王

分晉實趙魏取齊非呂宗陳情向魏闕涕淚揮朔風材高造物忌骨肉安能容

陳記室

記室草檄成阿瞞頭風愈神武頌東征下筆若飛羽可忠爲袁公詆曹及父祖

王侍中

卓犖王公孫中郎快倒屣文提若宿構感激盡微旨沒齒令人思不覩陳思誄

阮元瑜

簡書疾如雨阮掾何翩翩士爲知已死女爲悅已親借問撫琴者何如擊鼓人

劉公幹

公子敬愛客出拜命夫人微嫌竟被刑知已獨不嗔家丞爲秋實雅量原絶倫

應德璉

諸子鳴建安賦詠聞迭作盛會不可常霜雪多摧刹遊戲鬬雞場毋爲懷不樂

應休璉

百慮有一得長史稱知言思樂衡門棲宜營郊牧田家聲振令子魏祚傷已遷

阮步兵

世事不可與有悲則有思達莊釋妙旨通易闡道微彈琴復長嘯醉鄉可忘歸

嵇中散

嵇詞特清峻往往深論誠志行儕阮公而獨罹隕斃廣陵散絶矣咄哉鍾士季

鍾司徒

反覆讀羲易賢母誠勞謙司馬重佐命鍾祀幸不燔若逢王輔嗣地下應懷慙

杜征南

功成老著書誰如杜將軍不朽可庶幾無愧平昔言摩挱峴山石陵谷猶未遷

荀公曾

博聞辨牛鐸樂歌資表正一言惠孫吳綾縑報亦稱終慙二令君學古翻成佞

傅鶉觚

鶉觚厲白簡彊直罕匹儔經綸切國體詔報嘗加優平子自有說安用擬四愁

張司空

形壞乃足瑋體大實妨物斬秀遺梁王此計惜未出台星一夜隕天道邪可說

孫馮翊

枕流欲洗耳漱石欲厲齒雄心不可沈傲骨焉能骫誰能目君才惟一王武子

摯太常

椽筆定禮儀輿論窮文章晉才號通博無如摯太常流離鄠杜間竟絕南山糧

束廣微

元城始爲文頗遭時世薄佳譽一旦馳晉庭重博學三日曲水對摯生不能作

夏侯常侍

安仁誄孝若生死交情見撥茵盛容光連璧復中斷文章烱孝悌千秋庚不畔

潘黃門

謐友二十四黃門遂稱首白頭赴東市傷哉負阿母遺文賈陸儔才藻世希有

傅中丞

疾惡傅長虞剛簡有大節豈惟厲百官亦以箴王闕綺麗不足珍自有驚人筆

潘太常

箴懸秉輿鑒論立人道綱履危獨居正覆餗能隄防逸驥騰夷路斯語懸河陽

陸平原

才藻既贍逸詞鋒復英銳傷哉文陣雄厄彼道家忌雪風怒號華亭空鶴唳

陸清河

清河與兄書往復窮譚藝相接貴清新益損一二字九原復相從故吏空流涕

成公子安

子安殊淩泊聽敏涉古今天庭竝受詔司空稱同音清飆振喬木逸韻流祥禽

張孟陽

峩峩劍閣銘勒石垂鍼砭起家著作郎延譽洵無忝豈惟舍人才實徵司隸鑒

張景陽

流波戀舊浦行雲思故山安平好兄弟名業善自完季陽亦人傑陸耽良可歎

劉越石

晉陽迫重圍登樓發清嘯雄豪不世出文詠復佳妙鞭長不及腹佩刀喪光曜

郭宏農

景純襲文雅才藻冠中興胡不偕嚴翟攜手辭塵寰濤驅赤岸賦火焚青囊經

王右軍

敗喪誠殷浩凋困陳謝安一朝誓墓去山水供盤桓懽讌洽親知何如許叔元

王大令

王氏父子文多以佳帖傳風流壓江左大令何翩翩所以人琴忘喆兄尤潸然

孫廷尉

蘭亭觴曲水翰墨陵右軍一吟復一詠北面朝許詢齋前老樹子奇氣常嶙峋

陶彭澤

在官八十日遂賦歸去來就園種蔬菊此外皆塵埃編詩附三百西山知言哉

何衡陽

宋文定干戈承天領著作鳳凰將九雛苞采每炫爍旣定執經儀尤懋威戎略

傅光祿

著論規括囊卒以名位傾回首神虎門百兩已無聲飛蛾赴明燭永念徒拊膺

謝康樂

內史去臨川旋赴廣州市頗疑韓亡篇實謬山居志寂寞繙經臺淒涼白水寺

顏光祿

靈運不得死延年以令終舉觴誅彭澤沈醉歌阮公竣也高第宅蓬巷仍秋風

鮑參軍

但願尊中酒莫惜牀頭錢奉君玉匣琴歌君行路難長風下崑鷄清響悲人寰

袁陽源

投軀殉國難炳著陽源烈文采稱適豔英毅時發越霜雨多異同松筠自有節

謝法曹

西堂發佳夢阿連洵無雙白玉空守貞茲語殊不祥安得酌桂酒爲君歌未央

謝光祿

擦才廣賢路此議竟不行一賦壓袁叔未足誇平生文章四百卷流傳惜未宏

竟陵王

行水躬佛事或失宰相體菩提種善根一卷淨住子耆天不愁遺柱石竟何倚

王文憲

齊臺佐命功褚王竝奮跡博議通古今仲寶實作則風流江左相終愧謝安石

王寧朔

元長豎文穎傾心惟竟陵淨行獻諸頌相期超沈宴如何公誤我憂懼徒交并

謝宣城

寥廓失高舉終被罿罻牽垠琅篋中句搔首雜問天懷人千載後臨風李謫仙

張長史

鼎鑊置目前方作洛生詠平生擅風調往往發至性比德玉無瑕上善游不競

孔詹事

德璋好文詠情趣同張融移文勒草堂雲壑騰秋風想見獨酌時鼓吹橫西東

梁昭明

讀書三萬卷斐然文學才前星遽隕曜道路銜餘哀千秋選樓上寂寞凝梁埃

梁簡文帝

六齡屬麗辭七歲擅詩癖宮體盛流播輕華輒自斥仁孝推喆兄能頌十四德

梁元帝

眇僧託王宮乘時輒當璧天未悔梁禍冰淵失兢惕三世湼槃經序論究何益

江醴陵

富貴思草萊醴陵或未然閉骨幽泉裏流聲宇宇聞芳草詎同氣庶皆悅於魂

沈隱侯

隱侯四聲譜巧盡天地秘讖佛戒綺語餘事多所諱淇園貞幹臣深恐愧斯義

陶隱居

嶺上多白雲雲上之仙風結茆古松下自闢華陽宮弟子愛樓靜先生師葛洪

邱司空

天監頗愛才不罪永嘉守懷中數尺錦蔚然七襄手沈詩與任筆方駕孰先後

任中丞

梁武霸府開驃騎主文翰交遊延廣譽三君比諸漢傷哉葛帔兒家聲不克振

王左丞

傭書通諷誦誰如東海王含吐縹緗上晨鐙高檠張萬卷遺子孫無須須越裝

陸太常

佳哉蘭臺聚殷張皆勝流既有絕塵到復見黃中劉陸生感知己翩翩鸞鳳儔

劉戶曹

孝標慕敬通慷慨輒自序晚居東陽山紫巖卬鑿古聲
塵牘芬烈未隨魂魄去

王詹事

仲宣遇蔡邕元禮服沈約在陰占鵲鳴中心縻好爵何
以贍知音臨風采芍藥

劉秘書

秘書第一官當用第一人掌記屬東宮圖畫冠樂賢彼
美洛陽子河朔爭流傳

劉豫章

一麾守臨海四境稱翕然詎惟文譽著亦崇治行宣宏
麗金像碑習俗何必傳

劉庶子

三筆矗蔚跂六詩流鏘鏗品藻先諸子知弟莫若兄翩
翩驄馬驅意與何縱橫

庾度支

夜賦入關齋高唱老病死咄咄不祥事亡命走學士他
時江南哀徙屬尚書子

何記室

作詩少而能佳哉何水曹枝橫卻月觀品格梅華高傾心動嗟賞美彼忘年交

吳朝請

貧女無燈燭一朝奉至尊西施入吳宮舉國皆效顰不見好事者詩體傳吳均

陳後主

黃鸝留不鳴後庭花早死蘭膏促芳夜世事亦如此風細錦帆斜猶颻隋隄水

徐僕射

天上石麒麟人間五色鳳獻策舉將才白簡導肖從豈惟玉臺文好事爭傳頌

沈侍中

上表通天臺誠心感靈夢北都獨閉門隱抱折文痛慷慨知命年猶獲當世用

江令君

內殿賦新詩千金買一笑羅綺忽煙雲白首堪憑弔縱然晤攝山何如就靈曜

張散騎

幽桂無斜影深松有勁風匡山招白鶴避地曾仙宮嘗時文會友零落儗司空

高令公

黃頭慕文子天子呼令公則知名世才外照由黃中崔公亦茂勤險害貽厥宗

溫侍讀

魏有溫郎中才藻大可畏流傳吐谷渾牀頭高位置絕筆神武碑敝襦竟同秉

邢特進

霖雨閱漢書三日略遍記此才豈雕蟲執筆樹閣議嗤彼讀書愁校讎乃徒事

魏特進

弄戟鋒不銛板牀銳頓減纍纍富逸才溫邢避走險所惜穢史譏莫洗蘭臺玷

庾開府

子山位通顯鄉懷仍故土詞賦動江關實爲少陵祖滕王庶知言令狐乃敢侮

王司空

南士還舊都褒信留不遺文筆相照耀從容荷恩眄三
復燕歌行胡笳淚潸潸

盧武陽

尋師得邢邵索解慙劉松始知讀書益感激成文雄遂
令千載下雅韻流孤鴻

李懷州

騏驎世間物公輔天上人回首雲陽宮觧卑語不聞冊
魏勸晉后毋乃乖德勳

牛奇章

晉家山吏部魏世盧尚書取士先德行褒語非虛譽在
漢有叔孫議禮稱通儒

薛司隸

元卿富才學沈思入慘澹白頭還刺史焉用秘書監空
梁落燕泥傷哉昔昔鹽